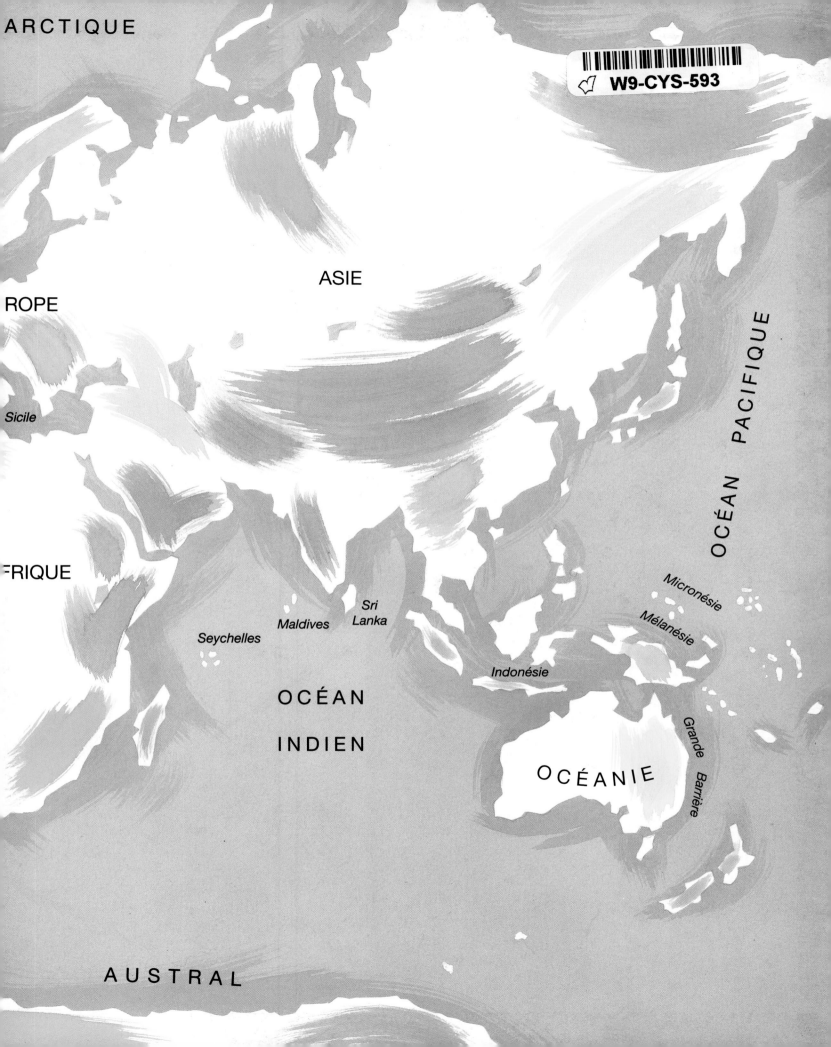

ARCTIQUE

ASIE

ROPE

Sicile

FRIQUE

Seychelles

Maldives

Sri Lanka

OCÉAN

INDIEN

OCÉAN PACIFIQUE

Micronésie

Mélanésie

Indonésie

Grande Barrière

OCÉANIE

AUSTRAL

LES OCÉANS

POUR LES FAIRE CONNAITRE AUX ENFANTS DE 5 A 8 ANS

Conception
Émilie BEAUMONT

Texte
Agnès VANDEWIELE

Images
Jacques DAYAN

FLEURUS
ENFANTS

ÉDITIONS FLEURUS, 11, rue Duguay-Trouin 75006 PARIS

LE PACIFIQUE

Cet immense océan est le plus grand de la planète (deux fois l'Atlantique). Il se situe entre la côte est de l'Asie et la côte ouest de l'Amérique. Dans sa plus grande largeur, il s'étend sur plus de 17 500 km ! Il est parcouru par une longue dorsale, qui est une chaîne de montagnes sous-marines dues à la rencontre de deux plaques de la croûte terrestre. Lorsque ces plaques bougent, elles créent des failles, des séismes, des raz de marée et des volcans. Les nombreuses îles volcaniques forment trois ensembles : Mélanésie et Micronésie (au large de l'Australie) et Polynésie (au milieu du Pacifique).

Les récifs

Dans les eaux chaudes du Pacifique se trouvent de nombreuses îles coralliennes entourées de récifs qui se sont constitués lentement avec le calcaire des coraux. Le plus grand récif de corail du monde se situe au large de l'Australie : la Grande Barrière. C'est un long cordon de corail qui mesure plus de 2 000 km. Cette merveille est formée de plus de 400 espèces différentes de coraux.

Les artistes du Pacifique

Les Mélanésiens, habitants de la Mélanésie, comme d'autres peuples du Pacifique, réalisent des figurines et des masques de bois peint, de plumes et de fibres. Ils sont aussi experts dans le travail de l'écaille et font de magnifiques colliers de coquillages.

Les statues de l'île de Pâques

Cette île, qui se trouve au large du Chili, est connue pour ses 900 statues de pierre de toutes tailles, allongées ou dressées en lignes. Elles ont été sculptées du Xe au XVIIe siècle par des Polynésiens dans la roche des volcans. Certaines pèsent des dizaines de tonnes !

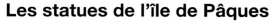

ASIE

fosse

Les plages

De magnifiques plages bordent côtes et îles du Pacifique. Leur sable est parfois tout blanc, fait de poussières de corail. Sur les îles volcaniques, le sable peut être gris ou noir.

Les fonds

Cette coupe montre combien les fonds du Pacifique sont irréguliers. On y trouve les points les plus profonds de la planète, comme la fosse des Mariannes (presque 11 km), et les montagnes sous-marines les plus élevées. Des volcans émergent parfois et forment des chapelets d'îles à la surface.

Des poissons multicolores

Dans les eaux tropicales, abondent des poissons de toutes les couleurs. À rayures, à pois ou à taches, ils se confondent avec les rochers et coraux pour échapper à leurs ennemis.

chaîne de volcans

AMÉRIQUE

L'ATLANTIQUE

En superficie, c'est le deuxième océan de la planète avec 106 millions de km^2. Il s'étend de l'océan Arctique à l'océan Austral et borde trois continents : l'Europe de l'Ouest, les côtes est de l'Amérique et ouest de l'Afrique. Son fond est formé de vastes plaines sillonnées de dorsales (chaînes de montagnes), comme la longue dorsale médio-atlantique qui le divise en deux du nord au sud sur plus de 11 000 km. Le Gulf Stream est un courant marin très important qui traverse l'Atlantique d'ouest en est. Il naît dans le golfe du Mexique et vient réchauffer les côtes anglaises et bretonnes. Entre les grands ports européens et américains le trafic maritime est intense.

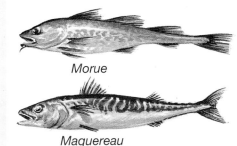
Morue

Maquereau

Thon blanc

Sardine

Hareng

Anchois

Crevette

La pêche

L'Atlantique abrite une grande variété de poissons et la pêche y est très développée. C'est dans l'Atlantique qu'est née la pêche industrielle. On attrape dans cet océan la moitié de tous les poissons pêchés dans le monde.
Les poissons présentés à gauche y sont capturés par millions de tonnes.

Le phare de Cordouan, ci-dessous, en France, au large de l'estuaire de Gironde, est une curiosité. Haut de 63 m, il renferme une chapelle et un appartement royal.

Les phares

Aux abords des côtes découpées, on a construit des phares. Leurs signaux lumineux guident les navires la nuit et par mauvais temps. Chaque phare se reconnaît au rythme de ses signaux. Malgré les techniques modernes (radars, satellites...), les phares restent indispensables.

Les trous bleus

Ce sont de très vastes grottes de calcaire sous-marines en plein océan. Grâce aux équipements modernes de plongée (scooters sous-marins ou soucoupes monoplaces), on peut explorer ces trous bleus. On y descend par une sorte de cheminée naturelle et on découvre alors d'étonnantes constructions faites de stalactites et stalagmites. Les trous bleus explorés se trouvent dans les eaux très limpides des Bahamas.

Les grandes courses

De grandes courses de voiliers ont lieu dans l'Atlantique. La Transat anglaise, traversée de l'Atlantique en solitaire, se court tous les quatre ans, de Plymouth (Angleterre) à Newport (USA). Et la Route du Rhum se dispute elle aussi tous les quatre ans, mais de Saint-Malo, en Bretagne, à Pointe-à-Pitre, en Guadeloupe.

Les croisières

De luxueux paquebots parcourent l'Atlantique au nord (Norvège, Islande...) et au sud (Brésil, Argentine). D'autres magnifiques croisières ont lieu dans les Caraïbes, en Amérique centrale. Musique, danse et autres loisirs accompagnent le voyage sur l'eau.

L'OCÉAN INDIEN

Il s'étend sur environ 75 millions de km².
C'est le troisième océan de la planète.
Il borde l'Afrique à l'ouest, l'Inde au nord
et l'Indonésie et l'Australie au sud-est.
Il est parsemé d'environ 5 000 îles
parmi lesquelles de grandes comme
Madagascar, des volcaniques comme
la Réunion, et des coralliennes
comme l'archipel des Maldives.
Dans les zones tropicales, l'océan
Indien est traversé par les moussons :
des vents qui font changer les
courants de direction deux fois
par an. L'été, ils soufflent de l'océan
vers la terre et en hiver, inversement.
Ces vents chargés d'humidité
déversent des pluies torrentielles
sur le continent .

L'Inde

C'est un vaste pays, grand comme six fois
la France, qui s'avance en forme de triangle
dans l'océan Indien. Il rassemble une
population nombreuse (930 millions
d'habitants). L'océan contribue à nourrir tous
ces hommes grâce à la pêche très
développée et grâce aux moussons qui
arrosent abondamment les terres cultivées.

*Jeune Indienne
en sari*

Les Seychelles

C'est un archipel de 32 îles granitiques
et 83 îles coralliennes situées au nord de
Madagascar en plein cœur de l'océan Indien.
Les îles granitiques, où est installée la plus
grande partie de la population, sont toutes
montagneuses. Les habitants vivent surtout
de la pêche et du tourisme. Beaucoup
de vacanciers y viennent, attirés par les
magnifiques plages. Les Seychelles abritent
une faune et une flore étonnantes, et les
plongeurs peuvent découvrir des fonds
et des poissons superbes.

*Le long des plages
des Seychelles,
les cocotiers
se dressent au milieu
d'immenses blocs
de granit.*

Des sculptures étonnantes

Dans l'une des plus belles baies de Thaïlande, 300 pitons calcaires, ci-contre, aux formes découpées, surgissent de l'eau. Ces énormes rochers sculptés par le temps sont percés de cavernes et entaillés de fissures. Certains mesurent plus de 100 m de haut !

Mangroves et algues

Le long des nombreuses côtes, comme celles de l'Australie, s'étendent de grands champs d'algues et des mangroves, ces forêts dont les arbres ont des racines qui poussent dans l'eau.

Aborigène d'Australie

La pêche

Sur les côtes du Sri Lanka, une île au sud de l'Inde, on peut voir des pêcheurs bien particuliers. Juchés sur des pilotis faits de branches plantées dans le fond de l'eau, ils pêchent à la ligne. Aux Maldives, les pêcheurs ont des bateaux à fond plat sur lesquels ils pêchent grâce à des perches munies de lignes. À côté de ces méthodes artisanales, se développe aussi la pêche industrielle.

L'ARCTIQUE ET L'OCÉAN AUSTRAL

L'océan Arctique entoure le pôle Nord et borde l'Europe, l'Asie, le Groenland et l'Amérique du Nord. Avec une surface de 14 millions de km^2, c'est le plus petit des océans. Sur son pourtour vivent divers peuples de chasseurs et de pêcheurs (Lapons, Inuit...). La pêche y est importante et on y trouve aussi de grandes réserves de pétrole. L'océan Austral entoure le continent antarctique, recouvert d'une calotte glaciaire, où se trouve le pôle Sud. En hiver, plus de la moitié de sa surface est gelée. Sur cet océan, flottent d'immenses étendues de glace, dont certaines sont aussi grandes que la France.

Les animaux du pôle Nord

La banquise du pôle Nord est le royaume des ours polaires, des phoques, des renards blancs et des lièvres arctiques. L'ours blanc chasse le phoque, il guette le moment où celui-ci sort de son trou de glace et l'assomme d'un coup de patte. Une fois mangées la peau et la graisse du phoque, il laisse la carcasse au renard blanc.

Paysage de l'Arctique

À l'arrivée du printemps, avec le redoux, la banquise se brise et la neige du continent se met à fondre. C'est à partir de cette époque que quelques plantes peuvent pousser. La glace, qui s'était formée en hiver, le long des côtes, fond et libère le continent. Des glaciers se détachent des icebergs et sous la chaleur du soleil, la glace peut se cristalliser et former des épées glacées dans le paysage.

Les icebergs ont des formes différentes dans l'Antarctique et l'Arctique. La plupart de ceux de l'Arctique proviennent des glaciers du Groenland, ils sont hauts avec un contour très découpé. Les icebergs de l'océan Austral, eux, sont plutôt plats comme des tables, on les nomme « tabulaires ».

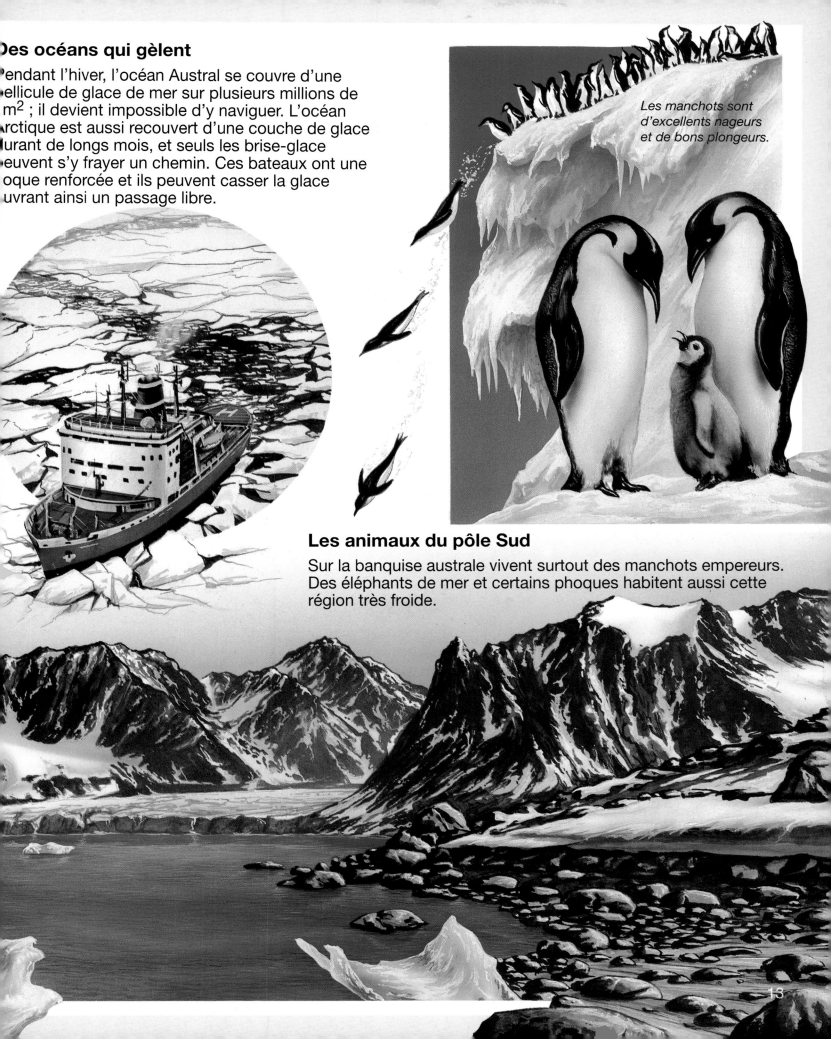

Des océans qui gèlent

Pendant l'hiver, l'océan Austral se couvre d'une pellicule de glace de mer sur plusieurs millions de km² ; il devient impossible d'y naviguer. L'océan Arctique est aussi recouvert d'une couche de glace durant de longs mois, et seuls les brise-glace peuvent s'y frayer un chemin. Ces bateaux ont une coque renforcée et ils peuvent casser la glace ouvrant ainsi un passage libre.

Les manchots sont d'excellents nageurs et de bons plongeurs.

Les animaux du pôle Sud

Sur la banquise australe vivent surtout des manchots empereurs. Des éléphants de mer et certains phoques habitent aussi cette région très froide.

LES FONDS MARINS

Il existe sous les océans la même diversité de paysages que sur la terre. En effet, grâce à des instruments d'observation modernes (submersibles, sondeurs, satellites), on a découvert que les fonds marins abritent des plaines, des plateaux, des chaînes de montagnes, des fosses... Près des côtes, on trouve d'abord, à environ 200 m de profondeur, le plateau continental, puis le fond peut descendre jusqu'à 3 000 m par une pente abrupte : le talus continental. Au bas de cette pente se situent les vastes plaines abyssales. Elles sont séparées les unes des autres par des chaînes montagneuses ou des fosses très profondes.

Les fosses

Ce sont de véritables ravins sous-marins. Froides et obscures, les fosses sont, en général, les endroits les plus profonds de la croûte terrestre. La fosse des Mariannes, dans le Pacifique, s'enfonce jusqu'à 11 000 m.

Les dorsales

Ce sont de longues chaînes de montagnes volcaniques qui traversent le fond des océans. Elles peuvent atteindre 4 000 m de haut. La plus grande se trouve dans l'océan Atlantique ; elle divise cet océan en deux du nord au sud.

La vie dans les fonds marins

C'est entre 0 et 200 m de fond que vivent les espèces animales et végétales les plus variées : algues, vers, crustacés, éponges et poissons, comme la murène et la rascasse. Entre 300 et 2 500 m, on ne trouve plus d'algues ni de coraux et au-delà de 2 500 m, le froid, la pression, le manque de lumière et de nourriture réduisent la vie animale.

Murène

Rascasse

La surface des océans

La surface des océans n'est pas lisse et plate. Elle est parsemée de creux et de bosses qui reflètent le relief des fonds marins.

Ainsi, aux endroits où s'élève une montagne sous-marine, la surface de l'océan est bombée, au-dessus d'une fosse océanique, elle présente un creux.

Les fumeurs

Au fond des océans existent parfois d'étonnantes sources d'eau chaude, qui forment de véritables cheminées sous-marines pouvant atteindre 10 m de haut. On les appelle fumeurs noires car elles crachent des nuages sombres contenant du soufre et d'autres éléments minéraux.

Les plaines abyssales

Plus de la moitié des océans est formée par les plaines abyssales. Ce sont de vastes étendues plates et monotones, larges parfois de 2 000 km. Certaines se trouvent à plus de 6 km de profondeur. Elles sont nombreuses dans l'océan Indien et l'océan Atlantique.

Les animaux des abysses

Les animaux qui vivent à plus de 2 500 m de fond dans le froid et l'obscurité sont assez extraordinaires ! Beaucoup d'entre eux ont un corps lumineux. Cette caractéristique leur permet de se reconnaître entre eux ou d'attirer des proies.

Grandgousier

Poisson-pêcheur

Poisson-hachette

15

LES VOLCANS

Des milliers de volcans occupent le fond des océans. Certains émergent des eaux et forment des îles volcaniques. Tous les volcans ne se forment pas de la même façon. De grandes chaînes de montagnes volcaniques sont nées de la rencontre d'une plaque océanique avec une plaque continentale. D'autres volcans sont apparus par la formation d'une colonne de lave brûlante remontée du manteau de la Terre et qui a jailli en surface, c'est le cas des îles d'Hawaii. Le plus grand volcan de la planète se trouve d'ailleurs dans cet archipel d'Hawaii, il s'agit du Mauna Loa, qui s'élève à plus de 9 000 m depuis sa base au fond du Pacifique.

Le Stromboli

C'est un cône volcanique situé au fond de la mer Tyrrhénienne, au large de la Sicile. Il mesure 3 000 m de la base jusqu'au sommet, mais il ne dépasse de la surface de l'eau que de 926 m. Toujours actif, il est couronné d'un panache de fumée le jour et d'une gerbe de flammes la nuit.

La plupart des volcans actifs sont groupés sur les bords de l'océan Pacifique, dans une zone que l'on appelle la « ceinture de feu ».

Cette ceinture passe par le Japon, la Nouvelle-Zélande, et remonte par la Cordillère des Andes, la Californie et jusqu'à l'Alaska. Son tracé suit la jointure des plaques océaniques et continentales. Éruptions volcaniques et tremblements de terre y sont fréquents.

ASIE
AMÉRIQUE DU NORD
OCÉAN PACIFIQUE
AUSTRALIE
AMÉRIQUE DU SUD

Les atolls

Les points chauds

Au fond de certains océans, émerge un panache de magma en fusion : c'est un point chaud. Quand une plaque océanique en mouvement passe au-dessus de ce point chaud, la lave brûlante transperce la plaque et un volcan jaillit dans la mer. C'est ainsi que se sont formés les volcans d'Hawaii, en forme de cône.

Lorsque la lave des volcans jaillit et qu'elle entre en contact avec l'eau froide, l'écart de température crée de gros « boudins » que l'on nomme coussins ou oreillers. Le cœur de ces coussins reste longtemps chaud tandis que l'enveloppe s'est refroidie et striée.

1 - L'origine d'un atoll est une île volcanique autour de laquelle se développent des récifs de coraux.
2 - Au fur et à mesure que l'île s'enfonce ou que le niveau de la mer monte, le récif forme une barrière autour de l'île.
3 - Quand l'île a complètement disparu, il reste un atoll de corail, entourant un lagon peu profond.

ns la Méditerranée on trouve isieurs volcans actifs comme Vésuve (Italie) et l'Etna (Sicile).

LES COURANTS

Les courants sont comme de larges fleuves qui circulent dans les océans, à la surface ou en profondeur. Les vents qui soufflent sur les océans font naître les courants de surface. Les vents alizés sont actifs de chaque côté de l'équateur, d'est en ouest. Ils créent les courants chauds équatoriaux, qui sont ensuite déviés à cause de la rotation de la Terre. Les courants marins forment d'immenses boucles dans les parties nord et sud des océans. Dans les régions polaires, naissent des courants de profondeur. Ils sont froids et dus à des différences de température et de salinité entre les eaux de surface et celles de fond.

Le rôle des courants

Les courants chauds des régions équatoriales et les courants froids des régions polaires tempèrent les climats des continents qu'ils côtoient. Ainsi, le Gulf Stream, courant tiède venu du nord-ouest de l'Atlantique, adoucit le climat des côtes de l'Europe.

Les courants peuvent aussi enrichir la vie sous-marine. Le courant froid de Humboldt, venu de l'Antarctique, fait remonter les eaux profondes riches en plancton, et rend ainsi les côtes péruviennes et chiliennes très poissonneuses.

Le courant froid de Benguela, qui vient de l'Antarctique, remonte le long des côtes de Namibie, en Afrique. L'air froid qu'il apporte, mêlé à l'air chaud du désert du Namib, forme du brouillard. Cet air humide permet aux animaux de survivre dans un désert où il ne pleut presque jamais. Des animaux de l'Antarctique portés par le courant échouent sur les plages qui bordent le désert, et des scènes étonnantes, comme celle du dessin, ci-contre, sont fréquentes.

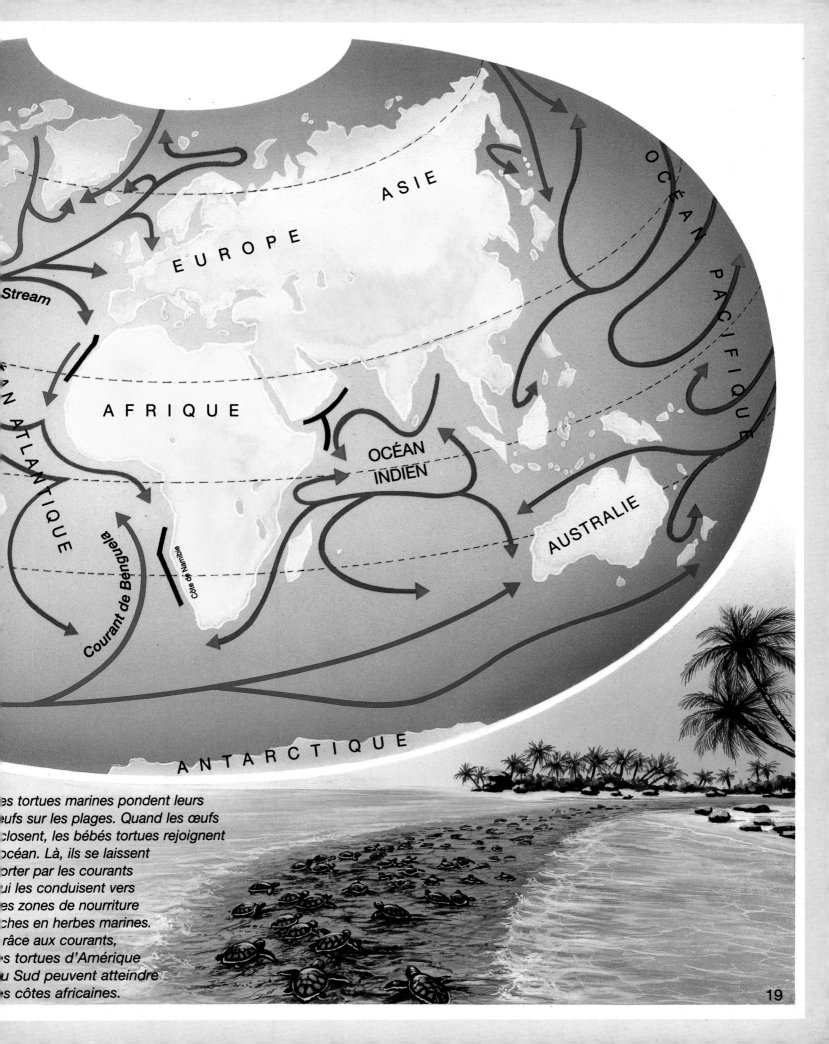

ASIE

EUROPE

OCÉAN PACIFIQUE

Stream

AFRIQUE

OCÉAN
INDIEN

ATLANTIQUE

AUSTRALIE

Courant de Benguela

Côte de Namibie

ANTARCTIQUE

es tortues marines pondent leurs
œufs sur les plages. Quand les œufs
closent, les bébés tortues rejoignent
océan. Là, ils se laissent
orter par les courants
ui les conduisent vers
es zones de nourriture
ches en herbes marines.
râce aux courants,
s tortues d'Amérique
u Sud peuvent atteindre
s côtes africaines.

19

LES MARÉES

La Lune et le Soleil attirent les eaux de notre planète et font ainsi varier le niveau des océans : c'est ce qui explique l'existence des marées. Sur la plupart des côtes, il y a deux marées hautes et deux marées basses par jour. L'amplitude des marées, c'est-à-dire la différence du niveau de l'eau entre la marée haute et la marée basse qui suit, varie tout au long d'un mois. La hauteur des marées dépend aussi de la forme de l'océan, de sa profondeur et du découpage de ses côtes. Les marées sont faibles en plein milieu des océans et dans des mers comme la Méditerranée. Le long de certaines côtes, en revanche, elles sont impressionnantes.

Les estuaires des fleuves

Les marées sont visibles dans les estuaires des fleuves. Lorsque la marée monte, une sorte de mur d'eau remonte le fleuve, ce phénomène s'appelle un mascaret et peut se faire sentir jusqu'à 10 km à l'intérieur des terres !

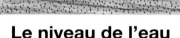

Le Mont-Saint-Michel

Dans la baie du Mont-Saint-Michel, les marées les plus importantes peuvent avoir une amplitude de 16 m ! À marée haute, l'île est encerclée par les eaux. À marée basse, la mer se retire au loin et on peut contourner le Mont à pied. Lorsque la marée remonte, le flot envahit la baie à grande vitesse : 17 km / h.

Le niveau de l'eau

Le niveau maximal des marées est atteint au moment des marées de vive-eau, à la nouvelle lune. Ensuite, il s'abaisse chaque jour pendant environ une semaine jusqu'à la marée de morte-eau. Puis le niveau remonte jusqu'à la prochaine pleine lune pour les marées de vive-eau, et ainsi de suite.

Pour les navigateurs, il est très important de connaître l'heure des marées et leur amplitude avant de s'arrêter le long des côtes ou dans les ports.

Les marées du passé

Certaines roches portent les traces de l'action des marées. Ces traces indiquent la place qu'occupaient les océans il y a très longtemps. Le dessin ci-contre représente une plage fossile, en Italie, où la mer était présente il y a 125 000 ans !

Une usine marémotrice

C'est une usine qui utilise l'énergie des marées pour produire de l'électricité. En France, en Bretagne, une usine de ce type a été installée sur l'estuaire de la Rance où l'amplitude des marées est très forte.

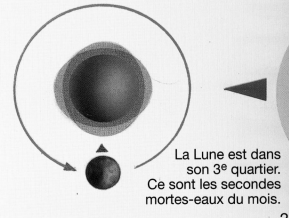

La Lune et les marées

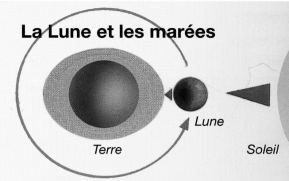

Terre · Lune · Soleil

À la nouvelle lune, Soleil, Lune et Terre sont alignés. Les marées sont importantes, elles sont dites de vive-eau ou grandes marées.

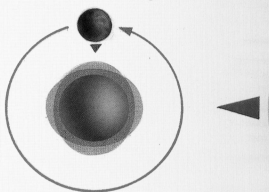

Au 1ᵉʳ quartier de lune, l'attraction de la Lune ne s'exerce pas dans la même direction que celle du Soleil. L'amplitude des marées est affaiblie (mortes-eaux).

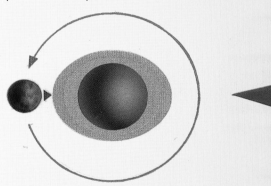

À la pleine lune, de nouveau Soleil, Lune et Terre sont alignés : ce sont les secondes marées de vive-eau du mois.

La Lune est dans son 3ᵉ quartier. Ce sont les secondes mortes-eaux du mois.

LES RICHESSES

Les poissons représentent la première richesse des océans. Mais on cultive aussi des huîtres, des moules et, dans les fermes marines, on élève maintenant des poissons (daurades et saumons), des crevettes et des algues. Certains pêcheurs recherchent de précieuses huîtres perlières, des éponges et des coraux.
Les gisements de pétrole et de gaz naturel constituent des ressources importantes. La force des marées est utilisée pour produire de l'électricité. Et, aujourd'hui, des biologistes étudient les organismes vivant dans les océans, dont ils tireront dans l'avenir des substances nouvelles pour la médecine et la pharmacie.

Les algues

Dans les océans, vivent de nombreuses espèces d'algues différentes. Certaines, comme la caulerpe, sont envahissantes et toxiques, mais d'autres, comme le kelp, une algue géante à longues « feuilles » plates, sont utilisées dans les produits de beauté, les médicaments ou même dans la pâte dentifrice.

En Asie, on cultive des algues pour les manger, et en France, on s'en sert comme plantes aromatiques.

L'exploitation du pétrole

Les fonds marins sont parfois riches en pétrole. On pratique alors des forages en haute mer. De la plate-forme de production (1), le pétrole

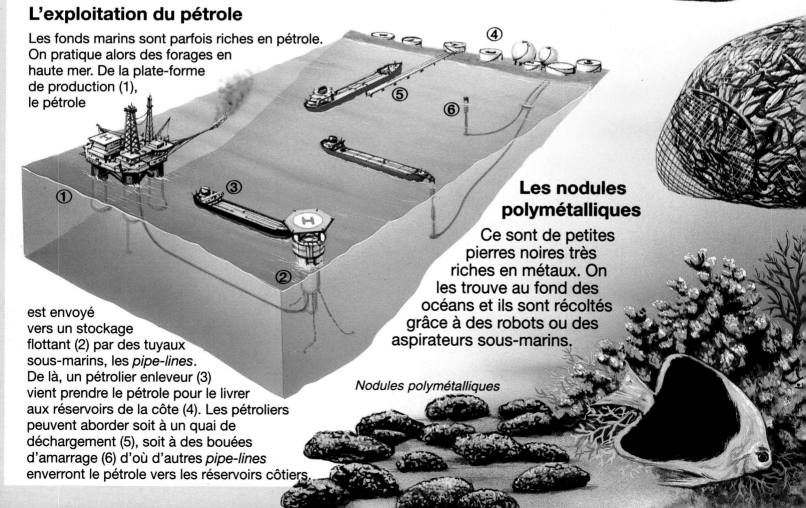

est envoyé vers un stockage flottant (2) par des tuyaux sous-marins, les *pipe-lines*. De là, un pétrolier enleveur (3) vient prendre le pétrole pour le livrer aux réservoirs de la côte (4). Les pétroliers peuvent aborder soit à un quai de déchargement (5), soit à des bouées d'amarrage (6) d'où d'autres *pipe-lines* enverront le pétrole vers les réservoirs côtiers.

Les nodules polymétalliques

Ce sont de petites pierres noires très riches en métaux. On les trouve au fond des océans et ils sont récoltés grâce à des robots ou des aspirateurs sous-marins.

Nodules polymétalliques

La pêche

Il existe deux grandes sortes de pêche : l'artisanale, pratiquée avec de petits filets, des harpons et des casiers, et la pêche industrielle avec de grands chalutiers modernes qui détectent les bancs de poissons avec des sondeurs et des radars sous-marins et se servent de filets géants : les chaluts.

On pêche environ 80 millions de tonnes de poissons, mollusques et crustacés par an, mais il faudrait limiter la pêche pour ne pas épuiser ces ressources.

Les marais salants

L'eau de mer peut contenir 30 à 35 g de sel par litre. On recueille ce sel dans des marais salants sur des côtes ventées et ensoleillées. L'eau de mer passe dans des bassins de moins en moins profonds : elle s'y étale et s'évapore, laissant un dépôt de sel. Les paludiers le récupèrent grâce à des râteaux.

Trésors sous-marins

Au fond des mers gisent des milliers d'épaves et des cités englouties. Les techniques modernes de plongée permettent maintenant d'explorer ces vestiges : or, argent, trésors, monnaies et armes d'autrefois.

Les coraux

Avec leurs couleurs vives et leurs formes originales, les coraux sont recherchés. On les pêche pour en faire des bijoux ou des objets décoratifs.

Les méduses

Le « poison » de certaines méduses est très utile en médecine pour traiter les maladies musculaires et les troubles cardiaques.

En Égypte, le port d'Alexandrie, englouti depuis des siècles, a été exploré. Les plongeurs y ont retrouvé de vraies richesses : un sphinx, des statues, des amphores...

LES DANGERS

Sur l'immense étendue des océans, les phénomènes météorologiques sont parfois d'une extrême violence. Dans l'océan Indien, sous les tropiques, par très forte chaleur, les vents furieux soulèvent l'air chaud et humide en un gros tourbillon : un cyclone. Il prend la forme d'un anneau qui, poussé par les vents, avance au-dessus de l'océan en déversant des trombes d'eau. Il peut parfois atteindre les côtes provoquant d'énormes dégâts. Le cyclone se nomme ouragan dans l'Atlantique et typhon dans le Pacifique. Des satellites surveillent l'arrivée des grosses tempêtes et des cyclones pour avertir les marins.

Le raz de marée ou tsunami

C'est une gigantesque vague déclenchée par un tremblement de terre ou une éruption volcanique. En haute mer on la voit à peine, mais quand elle se heurte à la côte qui la freine, l'énorme masse liquide se soulève comme une terrifiante muraille et s'abat en écrasant parfois bateaux et maisons sous son poids et sa force.

Les icebergs

Près des pôles, dans l'Atlantique Nord et dans l'océan Austral, dérivent de nombreux icebergs. Ces colosses de glace détachés de la calotte glaciaire des pôles peuvent parfois atteindre des centaines de kilomètres de long ! Seul leur sommet est visible et leur partie la plus importante se cache sous l'eau ; ce sont de redoutables pièges pour les bateaux.

Avec le brouillard, les marins ne voient parfois les icebergs qu'au dernier moment. Les navires sont heureusement équipés de radars de plus en plus performants pour les détecter à temps.

La tempête

Quand le vent déchaîné court à plus de 100 km/h sur des milliers de kilomètres, il peut soulever d'énormes vagues de 10 à 15 m de haut.
Les grosses tempêtes sont dangereuses pour les navires ; les vagues les empêchent de se diriger, il n'y a presque plus de visibilité et, parfois, les bateaux sont projetés sur des récifs !

On mesure la force du vent selon l'échelle de Beaufort qui va de 0 à 12. Un vent de force 8 devient dangereux pour les bateaux, lorsqu'il est de force 12, c'est l'ouragan garanti !

En 1960, un séisme survenu au Chili entraîne, un jour plus tard, un raz de marée au Japon, de l'autre côté du Pacifique.

Les trombes marines

Sous les tropiques, l'eau et l'air sont chauds, le temps est humide. On assiste alors parfois à un étrange phénomène : de la base des nuages, une sorte de courant d'air descend vers la surface de la mer, formant un tube. L'eau est aspirée et monte en tourbillonnant dans ce tube comme une colonne vers les nuages. Ces trombes marines ne durent que quelques minutes mais quand elles s'arrêtent, l'eau libérée retombe et peut être très dangereuse.

25

LA POLLUTION

L'eau de mer est riche en substances et organismes vivants (plantes et poissons) qui forment un équilibre fragile. Le développement de l'industrie et les comportements de l'homme ont troublé cet équilibre en déversant dans les eaux des produits chimiques, des déchets industriels et domestiques, sans oublier le pétrole, les expériences nucléaires et bien d'autres actions néfastes. La pollution de l'eau touche tous les maillons de la chaîne alimentaire, des plantes sous-marines jusqu'à l'homme en passant par les poissons et les coquillages. Pour freiner cette pollution, il faudrait déjà recycler les déchets et filtrer et traiter les eaux usées.

La radioactivité

Au cours des essais nucléaires sous-marins, des éléments dangereux pour les êtres vivants sont libérés dans l'océan et peuvent y rester pendant un temps considérable. On les appelle des matières radioactives. Elles sont très nocives pour l'organisme.

Les marées noires

Lors d'une tempête, il arrive que de grands pétroliers se brisent. Ils répandent alors des milliers de tonnes de pétrole en haute mer ou, plus grave, près des côtes. Ce pétrole forme un film plus ou moins épais qui recouvre les côtes d'une couche gluante et détruit plantes, oiseaux et poissons. On lutte contre ces désastres en encerclant la nappe par des barrages flottants pour pomper le pétrole ou encore en répandant des bactéries qui mangent les molécules de pétrole.

Les volcans

Les éruptions volcaniques dégagent divers éléments toxiques qui retombent ensuite en cendres dans les rivières et l'eau de mer et les polluent. Tous les éléments marins vivants sont ainsi atteints.

*epuis peu, plusieurs
ays ont décidé d'arrêter
s essais nucléaires.
'est un grand progrès.*

La pollution des rivières

Les produits toxiques qui
proviennent de l'industrie ou de
l'agriculture sont souvent
déversés dans les rivières, puis
les fleuves qui mènent à l'océan.
Tout au long de ce parcours, ils
contaminent plantes aquatiques et
poissons. L'homme, qui est au
bout de la chaîne, et mange
poissons et coquillages, se trouve
lui aussi touché.

algues vertes

Les algues vertes

Sur les côtes, avec le tourisme,
beaucoup de déchets sont rejetés en
mer. Les algues vertes se nourrissent
de cette pollution, et envahissent la
surface de l'eau. Elles empêchent
alors l'oxygène de passer :
les poissons meurent étouffés.

Les égouts

La plupart des villes côtières déversent
leurs égouts directement dans la mer.
Dans l'eau, des substances naturelles
sont capables d'éliminer une partie des
éléments toxiques grâce à l'oxygène.
Mais les poissons, alors privés de cet
oxygène, ne peuvent plus survivre.

27

TABLE DES MATIÈRES

ISBN : 2.215.060.51.4
© Éditions Fleurus, 1997
Dépôt légal octobre 97
Imprimé en Italie

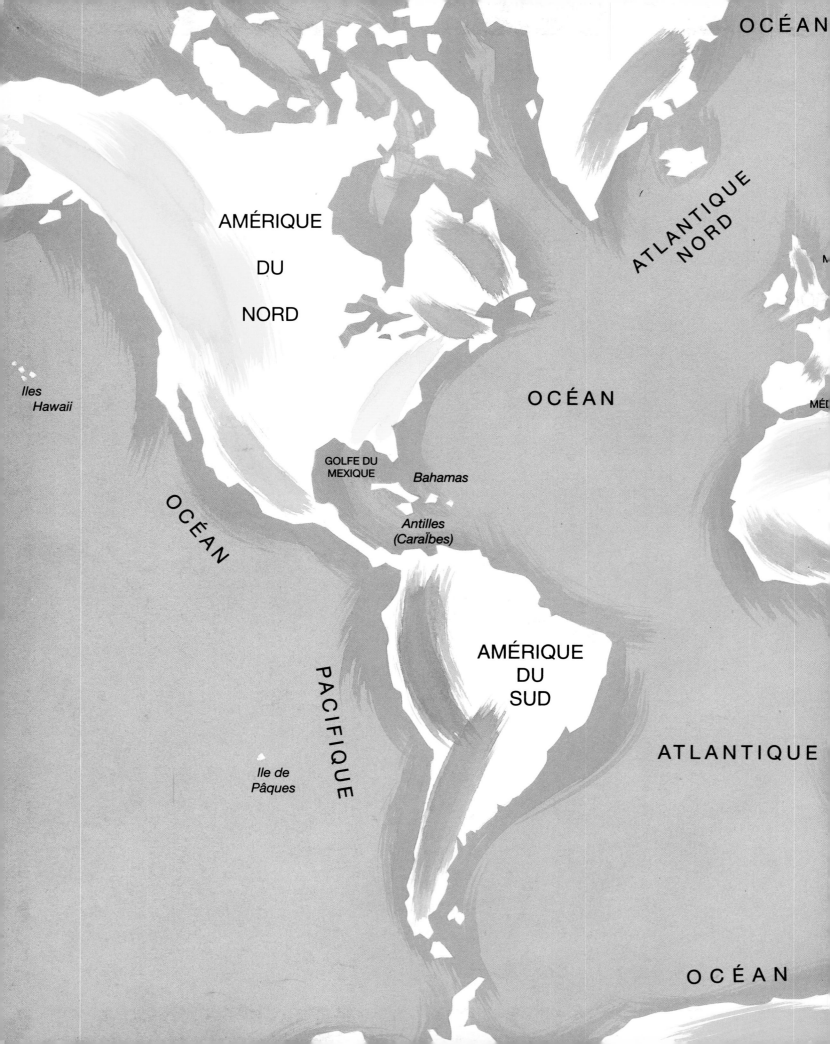

OCÉAN

AMÉRIQUE
DU
NORD

ATLANTIQUE
NORD

OCÉAN

*Iles
Hawaii*

MÉI

GOLFE DU
MEXIQUE

Bahamas

OCÉAN

*Antilles
(Caraïbes)*

AMÉRIQUE
DU
SUD

PACIFIQUE

ATLANTIQUE

*Ile de
Pâques*

OCÉAN